La lettre au père Noël

Une histoire de Christine Palluy,
illustrée par Thomas Baas

Joyeux Noël 2019

La Petite Ecole d'Edimbourg

Cher père Noël,

Je voudrais un robot et une trottinette.

Tu peux aussi m'envoyer des billes, mais c'est pas obligé.

Gros bisou sur ta joue !

Hugo

Chapitre 1

Hugo a terminé
sa lettre.
Il la glisse dans
l'enveloppe
et sort
la poster.

Au petit matin, la lettre arrive chez
Zinzin, le lutin facteur. Zinzin n'est pas
réveillé. Il pose le courrier sur la table
et bâille en se servant du lait.

Zut! il en a renversé. Zinzin n'a
rien vu, mais, sur la lettre de Hugo,
des gouttes de lait ont
effacé des mots.

Plus tard, enfin réveillé, Zinzin
lit le courrier :
– Quelle tête en l'air, ce Hugo !
Il a oublié des morceaux
de mots. Heureusement,
je suis là pour tout arranger.
Zinzin prend son dictionnaire.
Il cherche, il lit, il réfléchit.
Voilà, il a trouvé !

Alors, de sa plus
jolie écriture,
il ajoute des lettres
là où elles sont
effacées :

Cher père Noël,

Je voudrais un robinet

et une omelette.

Tu peux aussi m'envoyer des

gorilles, mais c'est pas obligé.

Gros bisou sur ta joue !

Hugo

Ravi de son travail, Zinzin se précipite
chez le père Noël. Il court vite,
trop vite sur la neige.

Zap!
il **dérape**.

Zoup!
il roule
comme
une boule.

Quand Zinzin
se relève, la lettre
de Hugo est toute
déchirée.

– Saperlipopette, c'est trop bête! Cette lettre est aussi trouée que mes chaussettes! Il retourne dans son chalet pour la réparer. Mais il ne sait plus très bien ce qu'elle disait.

Alors il colle au hasard et il jette
les morceaux en trop.

Un peu gêné, Zinzin **trottine** sur
la pointe des pieds jusqu'à l'**atelier**
du père Noël. Vite, il glisse la lettre
sous la porte et file dans son chalet.

Chapitre 2

Dans l'atelier, des lutins tapent
avec leurs marteaux, d'autres
chantent en décorant les cadeaux.

RÉSERVE
JOUETS

Le petit Zozo trouve la lettre
par terre. Aussitôt, il la lit et fronce
les sourcils :
– Saperlipopette, drôle
de lettre ! Hugo est tombé
sur la tête !

Cher bisou

Je voudrais 'envoyer
une *omelette*
sur des *gorilles*
obligé. *robinet*

père Hugo

Zozo est bien embêté.

Les omelettes, il sait les fabriquer.

Mais les **gorilles**, comment les attraper ?

Seul le père Noël peut l'aider...

Assis dans son salon, le père Noël
se gratte le front :

– C'est une erreur. Hugo n'a
pas écrit une lettre pareille !
Voyons, voyons, réfléchissons...

 Soudain, il se lève et
attrape un livre dans
sa bibliothèque :
– Je vais lui préparer un cadeau
à ma façon, un cadeau qui plaît
à tous les petits garçons...

Doucement, le père Noël tourne
les pages de son livre.
Assis sur ses genoux, Zozo ouvre
de grands yeux.

Le père Noël sourit :
– Tu vois, Zozo,
les livres m'aident
souvent à trouver
des idées.
Hum, hum...

– Fabriquer
un vélo...
non.

– Un circuit...
non.

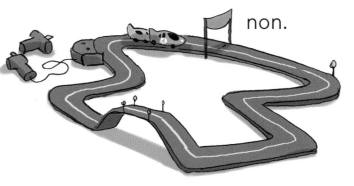

– Un château...
non plus.

Au bout de quelques instants, le père Noël annonce fièrement :

– Ça y est, je sais ! Zozo, va me chercher ma boîte à outils !

La barbe emmêlée et les sourcils froncés, le père Noël travaille, très concentré.

Zozo court pour apporter la peinture.

Zozo souffle pour faire sécher la colle.

Zozo est épuisé quand, enfin, le père Noël lève le nez.

Chapitre 3

– Voilà, nous avons terminé.
Un cadeau comme ça,
je n'en avais jamais
fabriqué! Va te reposer,
Zozo, tu l'as bien mérité.
Zozo sourit, il est content.

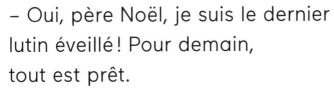

– Oui, père Noël, je suis le dernier
lutin éveillé! Pour demain,
tout est prêt.

C'est le soir de Noël.
Les étoiles dansent dans le ciel et
les rennes veulent faire comme elles.
Le grand voyage peut commencer.
Lentement, le traîneau glisse sur
la neige et s'envole au son des
clochettes.

Toute la nuit, le père Noël dépose
ses cadeaux. Enfin, au petit matin,
il arrive chez Hugo. Près du sapin,
il installe ses paquets et murmure :
– Amuse-toi bien, Hugo,
avec ton drôle de cadeau !

Le soleil s'est levé. Hugo descend l'escalier sur la pointe des pieds. À la lumière du sapin, un gros cadeau **scintille**... Hugo déchire le papier et saute de joie.

Sur l'emballage brillant, il a lu :

SUPER-ROBOTTINETTE À BILLES
le robot qui se change en trottinette, qui fabrique des billes et fait cuire les omelettes.

À ce moment-là, une lettre glisse du paquet :

Mon petit Hugo,
Moi aussi, j'adore les omelettes !
L'an prochain, quand je reviendrai, pourrais-tu m'en préparer ?

Père Noël

Fin

Cette histoire t'a plu?
Je te propose de jouer
maintenant avec les
personnages.

Tu es prêt?

C'est parti!

Si tu en as besoin,
tu trouveras les solutions
page 32.

Retrouve dans ce tableau tout ce que tu as compris de l'histoire que tu viens de lire.

Quels personnages?	Le père Noël	Un lutin vert	Hugo
À quels moments?	Avant Noël	Le soir de Noël	En janvier
À quel endroit?	Dans l'atelier du père Noël	Sur un circuit automobile	Dans un château-fort
Quel genre?	Un conte	Un roman historique	Une poésie

As-tu bien lu l'histoire ?

Retrouve les images de jouets qu'a commandé Hugo.

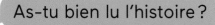

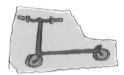

Qui dit quoi?

Hugo

Zinzin

Zozo

le père Noël

1 **Saperlipopette, drôle de lettre!**

2 **Hugo n'a pas écrit une lettre pareille!**

3 **Cher père Noël, je voudrais un robot...**

4 **Cette lettre est aussi trouée que mes chaussettes!**

Remets dans l'ordre toutes
les versions de la lettre d'Hugo.

☆
Cher bisou
Je voudrais 'envoyer
une **omelette**
sur des **gorilles**
obligé. rob**inet**

père Hugo

1

☆
Cher père Noël,
Je voudrais un rob**inet**
et une **omelette**.
Tu peux aussi m'envoyer des
gor**illes**, mais c'est pas obligé.
Gros bisou sur ta joue !

Hugo

2

☆
Cher père Noël.
Je voudrais un robot
et une trottinette
Tu peux aussi m'envoyer des
billes, mais c'est pas obligé.
Gros bisou sur ta joue !

Hugo

3

28

Réponds par *Vrai* ou par *Faux*
à ces affirmations.

1. Zinzin prend soin de la lettre d'Hugo.

2. Le père Noël apporte un vélo à Hugo.

3. Zozo aide le père Noël à fabriquer
   le cadeau d'Hugo.

4. Hugo demande sur sa liste un robot,
   une trottinette et des billes.

5. La lettre d'Hugo est complète
   lorsqu'elle arrive au père Noël.

Remets les images dans l'ordre de l'histoire.

A

B

C

D

E

Place le livre devant un miroir et tu découvriras ce que dit le père Noël!

Amuse-toi bien,
Hugo, avec ton drôle
de cadeau !

Solutions des **jeux**

Page 25 : Quels personnages ? Le père Noël, Hugo.
À quels moments ? Avant Noël, le soir de Noël. À quel endroit ?
Dans l'atelier du père Noël. Quel genre ? Un conte.

Page 26 : Je voudrais un robot et une trottinette.
Tu peux aussi m'envoyer des billes, mais c'est pas obligé.
Gros bisou sur ta joue ! Hugo

Page 27 : Hugo : 3 ; Zinzin : 4 ; Zozo : 1 ; le père Noël : 2.

Page 28 : Le bon ordre est : 3, 2, 1.

Page 29 : 1. Faux ; 2. Faux ; 3. Vrai ; 4. Vrai ; 5. Faux.

Page 30 : E, D, A, B, C.

Page 31 : Amuse-toi bien, Hugo, avec ton drôle de cadeau !

La mascotte « Milan Benjamin » a été créée par Vincent Caut.
Les jeux sont réalisés par l'éditeur, avec les illustrations de Thomas Baas.

Suivi éditorial : Sophie Nanteuil. Mise en pages : Graphicat
© 2012, Éditions Milan, pour la première édition
© 2018, Éditions Milan, pour la présente édition
1, rond-point du Général-Eisenhower, 31101 Toulouse Cedex 9, France
editionsmilan.com
Loi 49.956 du 16.7.1949 sur les publications destinées à la jeunesse
Dépôt légal : juillet 2018
ISBN : 978-2-7459-5730-6
Achevé d'imprimer au 3e trimestre 2019 en Espagne par Egedsa
Ce titre est une reprise du magazine *J'apprends à lire* n° 52.